Bête à tout prix !

MON CHER SAMAËL, C'EST À TOI QUE JE CONFIE L'ENTRAÎNEMENT DU PETIT GRYF !
JE M'EN SERAIS BIEN CHARGÉ, MAIS MON MÉDECIN M'A RECOMMANDÉ UN MAXIMUM DE REPOS ET DE DÉTENTE.
HI! HI!
HA! HA!
HI! HI!
HU! HU!
??

BON, PREMIER EXERCICE : TU DOIS TROUVER UN MOYEN DE FRANCHIR CE CERCLE DE FEU SANS TE BRÛLER.

TU AS BIEN COMPRIS ?
OUI, OUI.

SPLASH
COMME ÇA ?

WUUUUSH
COMME ÇA ?

KLONG KLONG
COMME ÇA ?
STOP !!

MAIS QU'EST-CE QUI A PRIS À NOTRE MAÎTRE DE RECRUTER UN MONSLAVE AUSSI BÊTE ??
J'AI JAMAIS VU QUELQU'UN D'AUSSI BÊTE !!

TU ES AU TOP DE LA BÊTISE !!
MAIS COMMENT PEUT-ON ÊTRE AUSSI BÊTE ?

S'IL Y AVAIT UN PRIX POUR LE PLUS BÊTE, TU FINIRAIS DEUXIÈME À COUP SÛR !
POURQUOI DEUXIÈME ??

PARCE QUE TU ES TROP BÊTE POUR FINIR PREMIER !!!
LOGIQUE.

Flop modèle

DIS, DANAËL ...
TU VEUX FAIRE QUOI QUAND TU SERAS PLUS GRAND ?
HEIN ?
MAIS JE TE L'AI DÉJÀ DIT CENT FOIS, SARYN !

PLUS TARD, JE VEUX ÊTRE ...
... FAUCON D'ARGENT !!!

JE VEUX PARCOURIR LE MONDE POUR PROTÉGER LES OPPRIMÉS DU MAL ET AFFRONTER LES SBIRES DU SORCIER NOIR AUX CÔTÉS DE MON FRÈRE IKAËL !
IL A TOUJOURS ÉTÉ UN MODÈLE POUR MOI. IL EST SI COURAGEUX, SI FORT. JE VEUX DEVENIR COMME LUI !!

QUELQUES ANNÉES PLUS TARD ...

NOUVELLES RECRUES, SOYEZ LES BIENVENUES CHEZ LES FAUCONS D'ARGENT ! J'ESPÈRE QUE VOUS FEREZ HONNEUR À NOTRE ARMÉE D'ÉLITE !
C'EST LE PLUS BEAU JOUR DE MA VIE !

SOLDAT DANAËL, ÊTES-VOUS PRÊT POUR VOTRE PREMIÈRE MISSION ??
MA... MA... PREMIÈRE MI... ?
PÈTE UN COUP, ÇA IRA MIEUX !
OUI, MON COMMANDANT !!

C'EST QUOI, MA MISSION, IKAËL ? PARTIR EN ÉCLAIREUR ? INFILTRER LES TROUPES ENNEMIES ?? MENER UN ASSAUT SUR LE CHÂTEAU DE DARKHELL ?
TA MISSION EST DES PLUS IMPORTANTES, CAR D'ELLE DÉPEND LA SURVIE DE TES CAMARADES !!

J'ESPÈRE QUE TA LAME EST BIEN AIGUISÉE, PETIT FRÈRE.

HÉ ! HÉ !
ET JE VEUX QUE LES PELURES SOIENT LES PLUS FINES POSSIBLE. ON NE GÂCHE PAS DE LA BONNE POMME DE TERRE !!
SNIF! SNIF!
CRAC
TIENS ? C'ÉTAIT QUOI CE BRUIT ?
SANS DOUTE MES RÊVES QUI SE BRISENT.

CHERS TÉLESPECTATEURS...
... POUR L'ÉMISSION DE CE SOIR "LES STARS SONT CHEZ VOUS"...

... NOUS AVONS L'HONNEUR D'ACCUEILLIR LES IDOLES DES ENFANTS ... LES LÉGENDGIRLS !!!
QUAND J'SERAI GRANDE, JE VEUX DEVENIR UNE LÉGENDGIRL !
C'EST BIEN, MA CHÉRIE !

AVANT QUE NOUS PARLIONS DE LA SORTIE DE VOTRE LIVRE "LÉGENDGIRLS UNIES POUR LA VIE", JE SUIS CERTAINE QUE DES MILLIERS DE JEUNES FILLES POUR QUI VOUS ÊTES DES MODÈLES VOUDRAIENT SAVOIR ...
Les stars sont chez vous
JE PASSE À LA TV !!
... COMMENT VOUS ÊTES DEVENUES DES SUPER-HÉROÏNES !!! JADINA, VOUS VOULEZ BIEN RACONTER ?

JE CROIS QUE JE SUIS LA MIEUX PLACÉE POUR VOUS RÉPONDRE...
EUH... SI VOUS VOULEZ.

LORS D'UNE CHAUDE NUIT D'IVRESSE, MES AMIES ET MOI NOUS ÉTIONS PERDUES EN RENTRANT D'UNE SOIRÉE BIEN ARROSÉE DANS UN CLUB.

SOUDAIN UNE MAGNIFIQUE LUMIÈRE EST APPARUE DANS LE CIEL. NOUS AVONS D'ABORD PENSÉ QUE C'ÉTAIT UNE HALLUCINATION DUE À NOTRE GUEULE DE BOIS...

... MAIS C'ÉTAIT EN RÉALITÉ LA REINE DES FÉES-LAPINES... BOO-BUNNY-BOO !! ELLE NOUS AVAIT CHOISIES POUR DEVENIR MAGICAL GIRLS !
ELLE NOUS A DONNÉ DES BAGUETTES MAGIQUES POUR QUE MON ÉQUIPE ET MOI COMBATTIONS LES FORCES DU MAL INCARNÉES PAR LE DOCTEUR AGRU...

COMMENT ÇA, "MON ÉQUIPE" ET TOI ? D'OÙ T'AS VU QUE T'ÉTAIS NOTRE CHEF ?
DU CALME !
C'ÉTAIT UNE FAÇON DE PARLER ... MAIS QUAND J'Y RÉFLÉCHIS, IL EST ÉVIDENT QUE JE SUIS LA MIEUX PLACÉE POUR DIRIGER CETTE ÉQUIPE !

ET POURQUOI ÇA ? JE SUIS LA PLUS ÂGÉE... JE DEVRAIS COMMANDER !
QU'EST-CE QU'ELLE A À DIRE, LA RETRAITÉE ??
!!!
JE VEUX PARTIR D'ICI

BAM BOING
CRASH BAF

CHERS TÉLESPECTATEURS, UN PROBLÈME TECHNIQUE NOUS CONTRAINT À ARRÊTER LA DIFFUSION DE CE DIRECT DE VOTRE ÉMISSION FAVORITE "LES STARS SONT CHEZ
CLIC
OUIIIIN !!
CE... CE N'EST RIEN, MON BÉBÉ ! CE... CE N'ÉTAIENT PAS LES VRAIES LÉGENDGIRLS !!
BAM! BAM!
BOOM!

L'ombre de l'amour

HOT-DOGS
VÉRITABLES
SAUCISSES
D'HUMAIN

RHAAA !! JE DÉTESTE "LA FÊTE DES MONSTRES" !!
TOUTE CETTE JOIE, TOUS CES BONS SENTIMENTS QUE LES CRÉATURES DÉMONIAQUES S'AUTORISENT CE JOUR-LÀ ME FONT VOMIR !

MAIS... C'EST LA COMMANDANTE TÉNÉBRIS !! QUE FAIT-ELLE DONC ICI... ET TOUTE SEULE ??
ELLE A L'AIR TRISTE... SE POURRAIT-IL QUE CE MAUDIT KORBO ET ELLE AIENT ROMPU ? CE SERAIT ...

... CE SERAIT FORMIDABLE !!
VOILÀ ENFIN POUR MOI L'OCCASION DE LUI DÉCLARER MON AMOUR.
SCRATCH
ALLEZ, COURAGE, RAPTOR !
CETTE JOURNÉE NE SERA PEUT-ÊTRE PAS SI HORRIBLE QUE ÇA, FINALEMENT !

AH ! TE VOILÀ ENFIN ?! JE COMMENÇAIS À TROUVER LE TEMPS LONG !!

ALLONS FAIRE UN TOUR AU STAND DE TIR, JE ME SENS EN VEINE AUJOURD'HUI !!

TOUT CE QUE TU VEUX, MON AMOUR !!

DÉSOLÉ, IL Y AVAIT UN MONDE FOU AU STAND DE BARBES À PAPA, TU N'IMAGINES MÊME PAS !

SNIF!
ÇA AURAIT ÉTÉ TROP BEAU !!

TAP! TAP!

DASYATIS... L'OMBRE NOIRE ?!

SMACK SMACK
REGARDE, KORBO ! QUEL COUPLE ADORABLE !!
C'EST OFFICIEL ! JE DÉTESTE VRAIMENT CETTE JOURNÉE !!

FAMILLE MAKER

PAPA, MAMAN... VOUS ME MANQUEZ TELLEMENT !

MADEMOISELLE TOOPIE ?

HAAAAAA !!

"CHÈRE TOOPIE, TOUS LES MOTS DE LA TERRE NE SAURAIENT EXPRIMER TOUS LES REGRETS QUE J'ÉPROUVE À TON ÉGARD.
HAAAAA !!

HAAAAAAAA !
EN CE JOUR ANNIVERSAIRE Ô COMBIEN DOULOUREUX, JE TIENS À T'EXPRIMER TOUTE MA SYMPATHIE ET SACHE QUE MON CŒUR SAIGNE ÉGALEMENT.

CE MESSAGE NE RÉPARERA JAMAIS CE QUE J'AI FAIT MAIS MES REMORDS N'EN SONT PAS MOINS SINCÈRES.
HAAAAAA !!

SACHE QU'EN DÉPIT DE TOUT, C'EST UNE ÂME REPENTIE QUI S'ADRESSE À TOI !
HAAAAAAA !!

OUF ! ÇA Y EST, JE L'AI ENFIN SEMÉ !

TOOPIE ? MAIS QU'EST-ZE QUE TU FAIS DANS ZE TONNEAU ?
RAZZIA ?

ZA TOMBE BIEN QUE TU ZOIS LÀ.
ZE... ZE VOULAIS ZAVOIR ZI TU AVAIS BIEN REZU...

... UNE LETTRE D'EXCUSE QU'UN MEZZAZER DEVAIT TE REMETTRE ?!

C'EST TOI QUI M'AS ENVOYÉ CE PSYCHOPATHE ??
DÉSOLÉÉÉÉ !!
JE DÉTESTE LES CLOWNS !!!
BREF, JE TIENS À TE DIRE QUE JE SOUFFRE AUTANT QUE TOI DE LA PERTE DE TES PARENTS. DE LA PART DE RAZZIA."
... VOUS VOULEZ BIEN SIGNER LE REÇU ?

Un Noël de dinde !

TU VEUX UN COUP D'MAIN EN CUISINE, RAZZIA ?
GRYF ? EUH... NON, MERZI. VA PLUTÔT AIDER ZADINA.

JADINA, DE L'AIDE POUR DRESSER LA TABLE ?
J'AI PRESQUE FINI, VA PLUTÔT DEMANDER À SHIMY !!

SHIMY, EST-CE QUE JE PEUX T'AIDER À...
PAS LA PEINE ! MAIS JE CROIS QUE DANAËL A BESOIN D'AIDE.

DANAËL, J'IMAGINE QUE TU...
JE PEUX M'EN SORTIR TOUT SEUL. VA VOIR RAZZIA EN CUISINE !

NON MAIS C'EST UNE BLAGUE OU QUOI ? POURQUOI PERSONNE VEUT QUE JE L'AIDE ?

JE VOUS AI DÉJÀ DIT QUE JE NE PORTAIS PAS MALHEUR À NOËL !!

DING DONG
GRYF, TU VEUX BIEN ALLER OUVRIR ?? ÇA DOIT ÊTRE TÉNÉBRIS QUI APPORTE LA DINDE !!
VOUS ÊTES SÛRS QUE J'EN SUIS CAPABLE ?
C'EST PAS TROP DE RESPONSABILITÉS POUR MOI ?

JE CONFIRME...
... C'EST BIEN LA DINDE !!

QU'IL M'APPELLE COMME ÇA ENCORE UNE FOIS ET JE L'ÉTRIPE PUIS JE LE FARCIS À COUPS DE PIED DANS LE FONDEMENT !!
MAIS ENFIN, CHÉRIE ! PUIZQUE ZE TE DIS QUE GRYF NE VOULAIT PAS T'INZULTER !
ET VOILÀ ! GRYF A RÉUSSI À GÂCHER LE RÉVEILLON DE NOËL...
... ENCORE UNE FOIS !!

ALORS, C'EST CHEZ LADY MORIGANE QU'ON VA CE WEEK-END ?
ILS PARLENT QUELLE LANGUE, LÀ-BAS ?
ÇA A L'AIR D'ÊTRE TOTALEMENT PAUMÉ... GÉNIAL !
C'EST UNIQUE AU MONDE, VOUS ALLEZ ADORER !!
C'EST PAR LÀ !
JE NE COMPRENDS RIEN DE CE QUI EST ÉCRIT SUR LES PANNEAUX. ON DIRAIT DES INCANTATIONS DÉMONIAQUES...
C'EST TROP COOL, CET ENDROIT !
JE NE PENSAIS PAS QU'IL POUVAIT Y AVOIR AUTANT DE CONSONNES DANS UN NOM.
ERLING
MULHOUSE
RIXHEIM
RIEDISHEIM
HELFRANTZKIRCH
MUNSTER
PFAFFENHEIM
AMMERSCHWIHR
NIE

ON VA SE FAIRE UNE HALTE DANS UN RESTO TYPIQUEMENT DU COIN AVANT DE MANGER LA ZWATCHKAWAYA* DE MAMAN !
ON DIRAIT LE NOM D'UNE TECHNIQUE DE TORTURE SECRÈTE...
CIVILISATION
HELLZACE
JE SENS QUE ÇA VA ME PLAIRE !

AU MENU, NOUS AVONS L'INCONTOURNABLE FLÄMMEKÜECHE, DU BAECKEOFFE, DE LA SÜRKRÜT, DES KNEPFLE, DES FLEISCHNAKA, DU ROÏGABRAGELDI, DU BIBALAKAS...

À VOS SOUHAITS !
J'ESPÈRE QUE C'EST AUSSI BON QUE C'EST IMPRONONÇABLE !

QU'EST-CE QUE C'EST, CETTE ODEUR...? ÇA PIQUE LES YEUX...
ÇA... ÇA FOUETTE ! C'EST PAS DU FROMAGE DE FILLETTE !
BEUH !
MUNSTER
AAAAH...

UNE PHOTO AVEC LA MASCOTTE !
SANS COMMENTAIRES ...

*ZWATCHKAWAYA : TARTE AUX QUETSCHES ALSACIENNE.

ON Y EST ! C'EST-Y PAS MERVEILLEUX ?!

J'EN REVIENS PAS DE DIRE ÇA... MAIS LION-FEU ME MANQUE !!
MEEEEEUUUH !!
MEEEEUUUH !
WOUF ! WOUF !
GROUIIIIK !!
MAAAAOOW !
MAAAAOOW !
IL EST DRÔLE TON PATRON, MA PUCE !
IL A LE CONTACT FACILE AVEC LES ANIMAUX ! C'EST FOU !

WAAAAAH !! C'ÉTAIT UN SUPER WEEK-END ! JE SUIS BIEN REPOSÉE !!
ON REMET ÇA QUAND VOUS VOULEZ !!
ENCORE UNE MONTÉE ...
LA ZWATCHKAWAYA, C'EST TROP BON !
C'ÉTAIT GÉNIAL ! ET SI ON FAISAIT UN CROCHET PAR CHEZ MOI POUR VOUS FAIRE DÉCOUVRIR LES CHOUCOTS ?
MERCI POUR VOTRE HOSPITALITÉ ! AU REVOIR !
GNNNH... ZOMBIE... VEUX... RENTRER... MANGER... VRAIE NOURRITURE... DORMIR... BLBLBL... GNNH...

Une histoire d(e)rôle

MESDAMES ET MESSIEURS, POUR CLORE CETTE REMISE DE PRIX DES "LÉGEND'OR"...

... J'AI L'HONNEUR DE REMETTRE LA DERNIÈRE RÉCOMPENSE DE LA SOIRÉE...
... CELLE DE LA PLUS BELLE MORT !!!

L'ANNÉE DERNIÈRE, C'ÉTAIT MARIA COTILLON QUI AVAIT EMPORTÉ LE PRIX POUR SA MORT DANS LE FILM "BATE MAN" !!
NON, NE MOUREZ PAS, JE VOUS AIME.
TROP TARD ... JE MEURS ! AAH... OOH... HURG ! ... ÇA Y EST, JE SUIS MOURRUE !!

QUI SERA DONC LE OU LA GAGNANTE DE CE SOIR ? SUSPENSE ... LAISSEZ-MOI OUVRIR CETTE ENVELOPPE QUI CONTIENT LE NOM DE...
JE SUIS SÛR QUE CE SERA TOI, SHIMY ! TON SACRIFICE DANS LE TOME 18 ÉTAIT TOUT SIMPLEMENT ÉPOUSTOUFLANT !!
JE SUIS ENTIÈREMENT DE TON AVIS, GRYF !

... SHUN-DAY POUR SA MORT DANS LE TOME 16 DES LÉGENDAIRES !!
SALETÉ !

PERSONNE ICI N'A OUBLIÉ CETTE SCÈNE DÉCHIRANTE OÙ ELLE SE FAIT DÉVORER VIVANTE PAR LE DIEU ETERNITY...
HAAAAAA !!!
... ET QUI LUI VAUT AUJOURD'HUI CETTE DISTINCTION MÉRITÉE !

MAIS... OÙ EST-ELLE DONC ? IL FAUT QU'ELLE VIENNE CHERCHER SON PRIX, LÀ.
HÉ, J'LE VEUX BIEN, MOI !

J'ARRIVE, J'ARRIVE !!
C'EST QUE C'EST PAS FACILE DE ME DÉPLACER DANS MA TENUE DE GALA !!

AH OUAIS, QUAND MÊME !
MAZETTE !
C'EST UNE BLAGUE !
...

JE TIENS À REMERCIER TOUTE LA COMMUNAUTÉ DES LÉGENFANS QUI A VOTÉ EN NOMBRE POUR MOI AINSI QUE LES ÉDITIONS DELCOURT QUI M'ONT TOUJOURS SOUTENUE !!
JE N'OUBLIE ÉVIDEMMENT PAS MON PÈRE, SKROA, SANS QUI JE NE SERAIS PAS LÀ CE SOIR... BISOUS, PAPA !!
WAOUH, ELLE EST ENCORE DANS SON RÔLE !
ÇA, C'EST UNE ACTRICE !!
INCROYABLE !!
BRAVO !
RESPECT !
C'EST UN PRIX TOTALEMENT MÉRITÉ !

Faut que ça sorte

BAM
JE NE TIENS PLUS !

HAAAAAR....
EUH... ÇA VA, ORPHEELIN ?
C'EST LA MAUVAISE PÉRIODE DU MOIS, J'IMAGINE ?
ÇA VA PAS, DE TENIR DE TELS PROPOS DANS UNE BD JEUNESSE ?
PLANNING PARODIA IV
STORY-BOARDS
CRAYONNÉS
ENCRAGES
COULEURS

J'AI ESSAYÉ DE LE CONTENIR DE TOUTES MES FORCES ...

... MAIS JE NE SUIS PAS AUSSI FORTE QUE JE LE PENSAIS !!

CE QUE J'AI EN MOI ...
... DOIT SORTIR MAINTENANT !!

HAAAAA!!

J'EN ÉTAIS SÛR, CETTE FILLE EST POSSÉDÉE PAR UN DÉMON !
LADY MORIGANE, ALLEZ ME CHERCHER DE L'EAU BÉNITE !!

DE L'HOBBIT ?

MAIS... QU'EST-CE QU'ELLE FAIT ? ON DIRAIT... QU'ELLE DESSINE !
SÛREMENT UN SORTILÈGE POUR ASPIRER NOS ÂMES !

NE REGARDEZ PAS !

?!

J'AVAIS ÇA SUR LE CŒUR DEPUIS TROP LONGTEMPS. FALLAIT QUE ÇA SORTE.
C'EST UN PEU FLIPPANT QUAND MÊME.
JE VOUS AIME !
AH... EUH... C'EST GENTIL, ORPHEELIN.
FAITES CE QUE VOUS VOULEZ, MOI J'APPELLE QUAND MÊME UN EXORCISTE !!
OUF, JE SUIS RASSURÉE !!

LES LÉGENDAIRES

TOUT UN UNIVERS À DÉCOUVRIR OU À REDÉCOUVRIR !

Les Légendaires
de Patrick Sobral
Pour vivre des aventures
hors du commun !

Les Légendaires

Les Légendaires

Les Légendaires

Les Légendaires

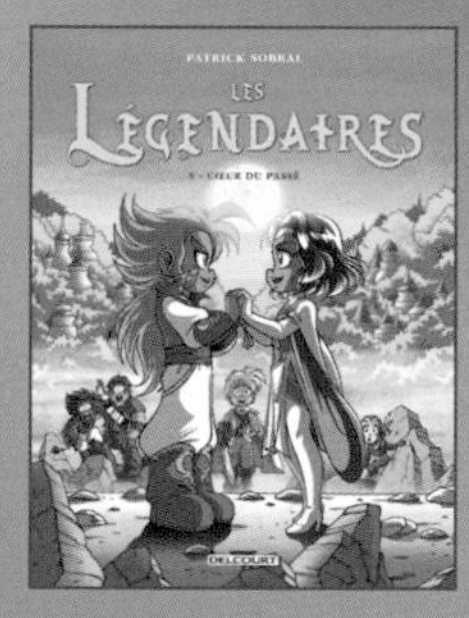
Les Légendaires

Les Légendaires

Les Légendaires

Les Légendaires

Les Légendaires

Les Légendaires

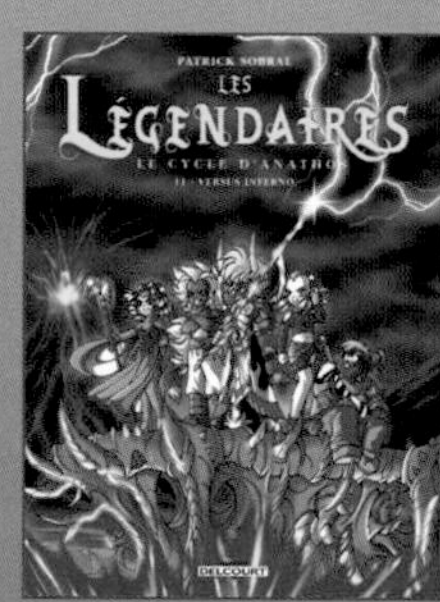
Les Légendaires

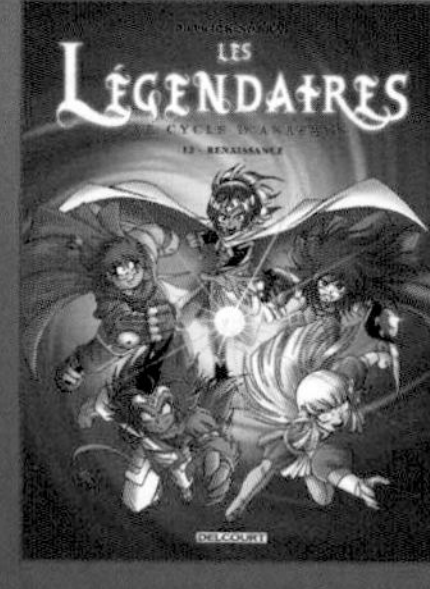
Les Légendaires

Les Légendaires

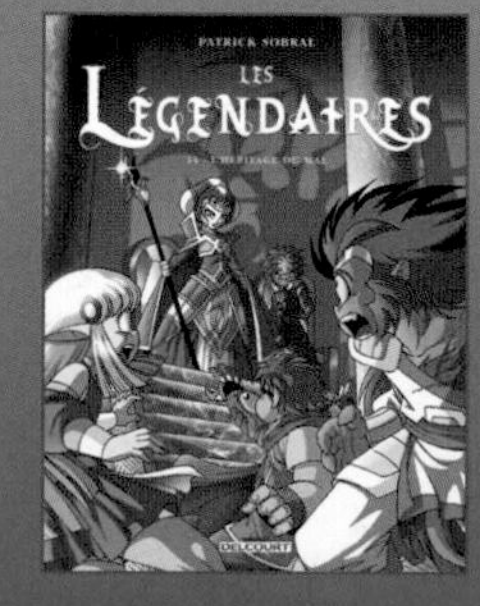
Les Légendaires

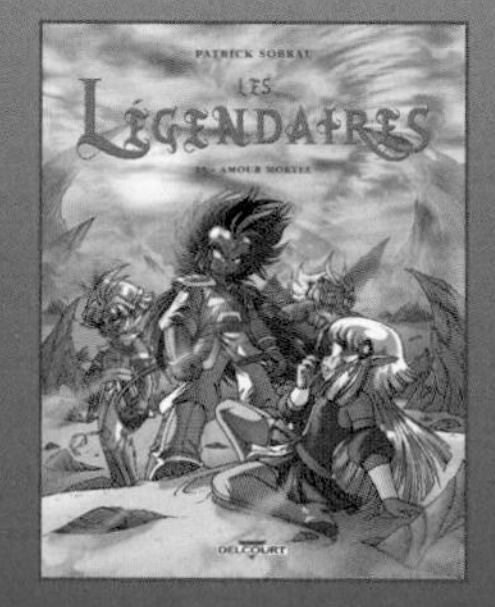
Les Légendaires

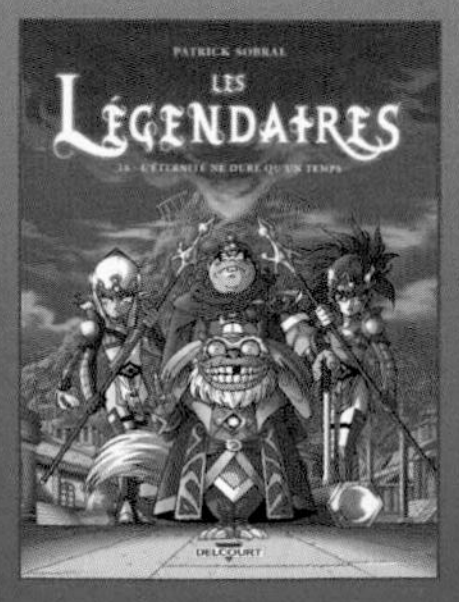
Les Légendaires

Les Légendaires

Les Légendaires

Les Légendaires

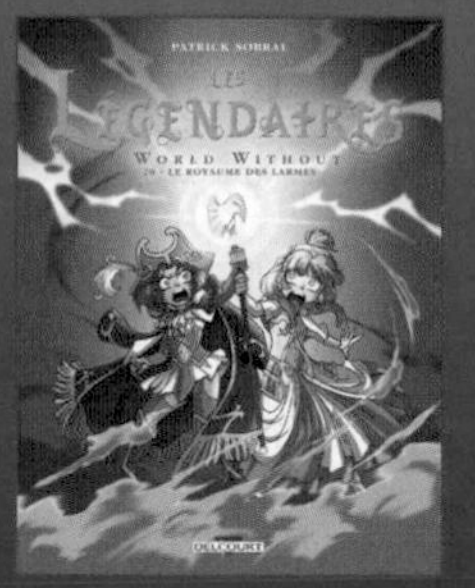
Les Légendaires

Les Légendaires